D0288334

Le sacrifice de Tecna

WinxClub™ © 2008. Rainbow S.r.l. Tous droits réservés.

© Hachette Livre, 2008, pour la présente édition.
Novélisation : Sophie Marvaud
Conception graphique du roman : François Hacker
Hachette Livre, 43, quai de Grenelle, 75015 Paris.

Le sacrifice de Tecna

Bloom

C'est moi, Bloom, qui te raconte les aventures des Winx. À l'université d'Alféa où je poursuis mon apprentissage de fée, j'ai découvert peu à peu ma véritable identité. Je suis la fille du roi et de la reine de la planète Domino, qui a été détruite par les ancêtres des Trix. Je n'étai alors qu'un bébé. C'est ma sœur aînée, la nymph Daphnée, qui m'a sauvée. Elle a trouvé sur Ter des parents adoptifs aimants à qui me confier. Aujourd'hu je possède le formidable pouvoir de la flamme du dragon, convoité par les forces du mal. Alors je suis en première ligne pour défendre la dimension magique et ses différentes planètes. Heureusement que je peux compter sur mes amies fidèles et solidaires : les Winx !

La mini-fée **Lockette** est ma connexion parfaite. Chargée de me protéger, elle a une totale confiance en moi, ce qui m'aide à devenir meilleure.

Kiko est mon lapin apprivoisé. Il n'a aucun pouvoir magique et pourtant, je l'adore.

Stella

Originaire de la planète Solaria, la fée de la lune et du soleil a une très grande confiance en elle. Un peu trop, parfois ! Et puis, elle attache tant d'importance à son apparence... Heureusement qu'elle est aussi vive que drôle.

Amore est sa connexion parfaite.

Flora

Fée de la nature, douce et généreuse, elle est à l'écoute des plantes et elle sait leur parler. Cela nous sort de nombreux mauvais pas ! Dommage qu'elle manque parfois de confiance en elle.

Chatta est sa connexion parfaite.

Tecna

Digit
est sa connexion
parfaite.

Directe et droite, elle est d'une grande débrouillardise. Normal, elle est la fée des sciences et des inventions. Elle maîtrise toutes les technologies, auxquelles elle ajoute un zest de magie.

Tune
est sa connexion
parfaite.

Orpheline, la fée de la musique est très sensible et pleine d'imagination. Face au danger, sa musique devient parfois une arme !

Layla. Venue de la planète Andros, la fée des sports est particulièrement courageuse. Dernière arrivée dans le groupe des Winx, elle a eu du mal à y trouver sa place. Peut-être parce qu'elle se vexe facilement. Aujourd'hui, pourtant, nous ne pourrions plus imaginer le groupe sans elle !

Piff est sa connexion parfaite.

L'université des fées est dirigée par l'adorable **Mme Faragonda**.

Rigide et autoritaire, **Griselda** est la surveillante de l'école.

Au royaume de Magix, un lieu hors du temps et de l'espace, la magie est quelque chose de normal. En plus d'Alféa, d'autres écoles s'y trouvent : la Fontaine Rouge des Spécialistes, la Tour Nuage des Sorcières, le cours de sorcellerie Bêta.

Saladin est le directeur de la Fontaine Rouge. Sa sagesse est comparable à celle de Mme Faragonda.

Ah ! les garçons de la Fontaine Rouge… Sans eux, la vie serait beaucoup moins intéressante. Nous craquons pour eux parce qu'ils sont charmants, généreux, dynamiques… Dommage qu'ils aient tout le temps besoin de se sentir importants et plus forts que les autres.

Prince Sky. Droit et honnête, l'héritier du royaume d'Éraklyon sait mieux que personne recréer un esprit d'équipe chez les garçons. Son amour me donne confiance et m'aide à triompher des pires obstacles.

Brandon est aussi charmant que dynamique et spontané. Pas étonnant que Stella craque pour lui.

Riven apprend à maîtriser son impulsivité et son orgueil. Il voit beaucoup moins la vie en noir depuis que Musa s'intéresse à lui.

Timmy est un jeune homme astucieux qui se passionne pour la technique. Avec Tecna, forcément, ils se comprennent au quart de tour.

Hélia est un artiste plein de sensibilité. Flora n'en revient pas, qu'un garçon pareil puisse exister.

Convoité par les forces du mal, Magix est le lieu d'affrontements terribles.

Valtor est un sorcier extrêmement puissant. D'autant plus qu'il cache son caractère cruel et malfaisant sous une apparence charmante. Son tour préféré : transformer en monstre toute personne qui s'oppose à lui. Ensuite, soit le monstre sombre dans le désespoir, soit il devient son esclave.

Les Trix ont été élèves à la Tour Nuage. Mais toujours à la recherche de plus de pouvoirs, elles ont fini par arrêter leurs études de sorcellerie. Elles préfèrent s'allier avec les forces du mal. Elles nous détestent, nous les Winx.

Icy, qui est à la fois l'aînée des Trix et leur chef, a pour armes préférées les cristaux de glace, le blizzard, les icebergs.

Stormy sait déclencher tornades et tempêtes.

Darcy utilise des sortilèges mentaux : elle crée des illusions de toutes sortes qui peuvent rendre fou.

Mme Griffin est la directrice de la Tour Nuage, l'école des sorcières. Mme Faragonda semble lui faire confiance. Mais je me demande si ce n'est pas une erreur...

Résumé des épisodes précédents

Vaincue par Valtor, Mme Faragonda s'est retrouvée prisonnière d'un vieux chêne. Nous, les Winx, avons trouvé sur Lymphéa le seul remède capable de la délivrer : les larmes d'un Saule Noir. Et en se sacrifiant pour sa petite sœur Mielle, Flora a gagné son Enchantix.

Pendant ce temps, Valtor va de planète en planète, voler les secrets magiques de chaque peuple. Il a fait de la Tour Nuage son nouveau repère, emprisonnant Mme Griffin, la directrice, et transformant les élèves en esclaves…

Chapitre 1

Ce que Bloom ne sait pas

Dans un ciel tourmenté, le signe de Valtor flotte au-dessus de la Tour Nuage. Le sorcier se trouve tout en haut de la tour, dans le bureau de Mme Griffin, en compagnie des Trix. Grâce à la boule de cristal de la directrice, ils observent avec intérêt ce qui se passe sur la planète Andros.

— Tiens, tiens... murmure Valtor. Le portail vers Oméga est resté ouvert trop longtemps et toutes ses énergies négatives se sont échappées... La plus terrible des prisons de Magix va bientôt s'effondrer sur elle-même !

— Quelles sont les conséquences pour Andros, Valtor ? l'interroge Stormy, sa favorite.

— Réfléchis un peu ! Oméga va entraîner Andros dans sa chute, à cause du portail qui les relie.

Le sorcier a un large sourire. Le malheur des autres lui fait toujours le plus grand bien !

— C'est votre œuvre, Valtor, le flatte Stormy. En vous échappant d'Oméga, vous avez réussi à ouvrir le portail. Et depuis, vous ne l'avez jamais refermé...

— Exactement. Bientôt, Andros sera entièrement détruite !

Icy fronce les sourcils.

— Je ne comprends pas. Vous devriez être inquiet puisque votre repère sur Andros va être anéanti !

— Mon seul repère, maintenant, c'est la Tour Nuage !

— Sans parler des sirènes que vous avez métamorphosées en monstres, ajoute Darcy. Elles font un excellent travail de destruction sur cette planète.

— Peu importe. Pour moi, tout a été décidé depuis le

début : les sirènes doivent périr en même temps qu'Andros.

Choquées qu'il se débarrasse si facilement de ses alliées, les Trix échangent des regards inquiets. Valtor se moque d'elles :

— Pourquoi semblez-vous surprises, mesdemoiselles ? Je me

suis emparé de toutes les formules magiques qui se trouvaient sur cette planète. Elle ne peut plus rien m'offrir. Alors, qu'elle disparaisse... et ses sirènes avec !

Dans la boule de cristal, surgit une nouvelle image : les Winx viennent d'atterrir sur Andros.

— Et ces petites fées vont être anéanties en même temps qu'Andros ! s'écrie Valtor, ravi.

Darcy semble toute triste.

— Quel dommage !

— Qu'est-ce qui te prend, Darcy ? Tu es devenue folle ? dit Icy.

— Je pensais que c'était nous qui finirions par les tuer, explique la sorcière. Quand je pense à toutes ces batailles que nous avons menées contre elles !

— C'est un peu comme si on nous volait notre victoire ! renchérit Stormy.

— Et si on allait les réduire en poussière avant qu'Andros ne disparaisse ? suggère Icy.

— Il n'en est pas question, dit Valtor. C'est moi qui commande et je ne vous y autorise pas.

— Et pourquoi ? Je croyais que vous aussi, vous détestiez ces petites fées toujours prêtes à se sacrifier pour les autres.

— Exact. Mais le portail va céder d'une minute à l'autre. La planète Andros va s'effondrer et les Winx avec elle. Je ne voudrais pas que vous partagiez leur sort...

Chapitre 2

Au secours d'Andros !

Grâce à la mini-soucoupe volante de Tecna, nous, les Winx, atterrissons dans le palais royal d'Andros. Mme Faragonda a averti Layla de la menace imminente qui pèse sur sa planète. Et comment faire autrement que de voler à son secours ?

Le roi et la reine d'Andros, les parents de Layla, sont catastrophés de nous voir arriver :

— Repartez vite ! Il est impossible de sauver notre royaume ! En restant ici, vous mettez votre vie en danger.

— Je refuse de croire qu'il n'y ait rien à faire ! s'insurge Layla.

Par la fenêtre, le roi et la reine désignent au loin l'île du portail interdimentionnel.

— Personne n'a assez de pouvoirs pour refermer le portail. Dans quelques heures au plus tard, Oméga va s'effondrer et notre pauvre planète avec elle.

— Je me battrai pour Andros jusqu'à mes dernières forces ! s'écrie notre amie.

Toutes, nous l'approuvons :

— Magie des Winx !

Et malgré les protestations du roi et de la reine, mes amies et

moi volons bientôt à tire-d'aile au-dessus de l'océan empoisonné.

— Attention ! crie Tecna.

Au fur et à mesure que nous approchons du portail, nous devons affronter toutes sortes de monstres échappés d'Oméga, l'ancienne prison de Magix. Sans compter les sirènes transformées par Valtor en combattantes féroces.

Layla, Musa, Stella et Flora se transforment en Enchantix. J'ai un petit pincement au cœur. Quand aurai-je à mon tour ces ailes merveilleuses, couvertes de

poussière de fée aux pouvoirs extraordinaires ?

Très vite, je n'y pense plus, car nos ennemis ne nous laissent aucun répit. Flora se bat à coups de plantes grimpantes, Stella d'arcs-en-ciel magiques, Musa d'ondes surmultipliées, Tecna de faisceaux laser, Layla de cordes ensorcelées, et moi de boules de feu. Chacune de nous a son style !

Soudain, l'une des sirènes monstrueuses réussit à atteindre Layla. Blessée, celle-ci tombe à genoux sur l'île du portail. La sirène s'apprête à frapper de nouveau notre amie, mais le roi d'Andros lui-même surgit et la repousse à coups d'épée.

— Oh, père ! s'écrie Layla. Vous m'avez sauvé la vie !

Le roi secoue la tête :

— Non, c'est toi qui m'as

sauvé la vie, Layla. J'avais baissé les bras, et tu m'as redonné la force de me battre. Je suis fier de toi, ma fille chérie.

Enfin, il ne reste plus dans les parages de monstres et de sirènes ensorcelées. Nous pre-

nons pied autour du portail, une sorte de pyramide faite de gros blocs de pierres, avec à son sommet l'ouverture qui mène à Oméga. Layla veut s'en approcher mais son père la retient.

— Attention ! Si tu t'approches de son centre, tu risques d'être aspirée et tu seras perdue à jamais. J'ai lancé un appel à Tebok, le sage. Il ne devrait plus tarder. Lui saura comment agir.

Je me tourne vers le roi :

— Je vais partir à sa rencontre.

Avec tous les anciens prisonniers d'Oméga qui rôdent dans les environs, il pourrait se retrouver en mauvaise posture.

— Tu as raison, Bloom ! dit Tecna. Je t'accompagne.

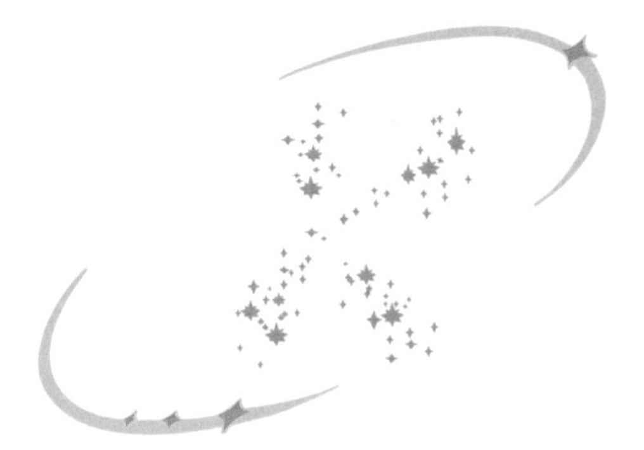

Chapitre 3

Le sacrifice de Tecna

Tecna et moi apercevons de loin l'embarcation aérienne de Tebok le sage. Des sirènes monstrueuses l'entourent. Le magicien n'est plus tout jeune et elles sont à deux doigts de le renverser.

Mais nous leur envoyons quelques sortilèges et elles s'enfuient. Tebok s'incline vers nous pour nous remercier.

Avec sa crinière de lion et ses bijoux qui brillent sur sa peau tannée, il est plutôt impressionnant.

— Sans vous, je n'aurais jamais revu Layla, ma princesse.

Sur l'île du portail, Layla est en train d'utiliser sa poussière de fée pour délivrer plusieurs sirènes du signe de Valtor. Celles-ci retrouvent leur apparence avec une joie immense.

— Oh, merci, princesse ! Je vivais un cauchemar !

— Moi aussi !

— Bravo, ma fille adorée ! applaudit le roi.

À son arrivée, Tebok s'incline devant Layla avec respect et affection.

— Princesse, je me sens coupable de ce qui se produit aujourd'hui.

— Vraiment ? Pourquoi ?

— C'est moi qui ai conseillé la construction de ce portail sur Andros, il y a très longtemps. Nous pensions alors que personne ne pourrait jamais s'enfuir d'Oméga. Le portail ne devait s'entrouvrir que quelques secondes, à l'arrivée des prisonniers, ce qui ne mettait aucunement Andros en danger. Nous n'avons jamais envisagé qu'il puisse rester ouvert aussi longtemps.

J'interviens :

— On ne peut pas changer le passé, monsieur Tebok. Par contre, on peut agir sur le présent. Est-il possible de détruire carrément le portail ?

Le magicien sort de sa poche un vieux parchemin.

— Ceci devrait nous aider. À condition cependant que vous concentriez dessus toute votre énergie magique.

C'est ce que nous faisons, pendant qu'il commence à prononcer la bonne formule.

Et tout à coup, l'île est saisie de secousses terribles ! Les blocs supérieurs de la pyramide commencent à être avalés par Oméga. Perdant l'équilibre, Tebok lâche le parchemin. Layla a beau se précipiter à sa poursuite, le léger morceau de papier file aussi vite que la tempête qui se lève. Et il est emporté à son tour par l'énergie maléfique qui s'échappe du portail ouvert !

L'île tremble de plus en plus fort et le portail continue d'avaler les blocs de pierre.

— Fuyons ! crie Tebok. Sans le parchemin, il est impossible de détruire le portail. Et dans quelques secondes, c'est tout Andros qui va être engloutie.

Je secoue la tête.

— Non, monsieur Tebok. Je n'ai rien pu faire pour Domino, la planète de mes parents. Alors, je ne permettrai pas qu'une autre planète soit détruite !

Layla vient près de moi.

— Je ne partirai pas non plus !

— Nous sauverons Andros ensemble ! affirment nos amies.

Impressionné par notre détermination, Tebok finit par avouer du bout des lèvres :

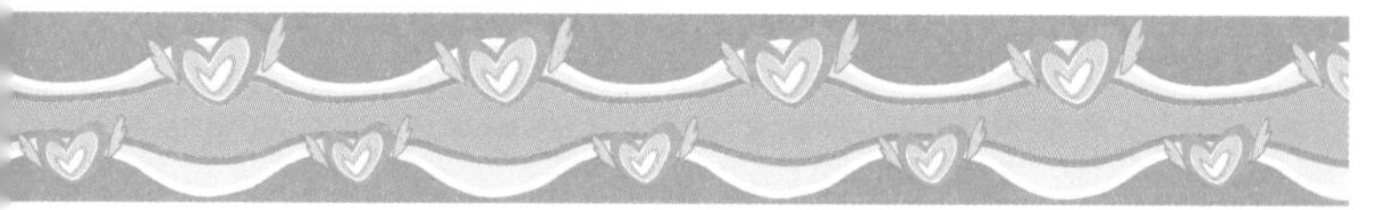

— Il existe bien une autre solution, mais elle me répugne.

— Laquelle ? Dites-nous !

— Depuis l'intérieur du portail, il doit être possible de canaliser l'énergie d'absorption d'Oméga et de s'en servir pour le refermer. Mais celui qui s'en chargerait resterait prisonnier à l'intérieur, à jamais !

— J'y vais, dit aussitôt Layla.

Mais Tecna est la plus rapide.

— Ton peuple a besoin de toi ! crie-t-elle en courant vers le portail. Il faudra reconstruire Andros !

Et avant que nous ayons eu le temps de protester, notre amie s'est engouffrée à l'intérieur. Dans un terrible grondement, les énormes blocs de pierre se chevauchent... et finissent par refermer ce trou qui a causé tant de malheurs.

Juste avant la fermeture complète, nous voyons s'élever un peu de poussière de fée. En se sacrifiant pour Andros, Tecna s'est transformée en Enchantix.

Musa pousse un cri terrible :

— Tecna ! Non !

Le portail est clos. Définitivement. Et Tecna, notre amie, se trouve à l'intérieur.

Chapitre 4

La révolte de Timmy

Il fait nuit. Mes amies et moi retrouvons les Spécialistes dans le parc d'Alféa. Instinctivement, nous nous mettons en cercle et nous nous prenons la main pour nous réconforter.

— Tecna était une grande fée,

murmure Flora, des larmes plein les yeux.

Layla serre les poings.

— Elle était courageuse et généreuse. Elle a donné sa vie pour mon peuple.

— Vous vous souvenez quand elle essayait de faire de l'humour ? dit Musa. Oh ! J'aurais dû plus souvent rire à ses blagues !

Je revois le visage franc de notre amie et j'ajoute, d'une toute petite voix :

— Tu vas nous manquer, Tecna.

Nous sanglotons tous ensemble.

Autour de nous, Timmy marche de long en large.

— Non ! crie-t-il, révolté. C'est trop injuste ! Je refuse de croire en la disparition de Tecna !

Riven le prend par les épaules.

— Courage, mon vieux. Tu dois accepter la vérité.

— Arrêtez ! Tecna n'est pas morte !

Riven le regarde droit dans les yeux.

— Timmy, Tecna a disparu à l'intérieur du portail qui menait à Oméga. Il s'est refermé sur elle. Et personne n'est capable de l'ouvrir à nouveau.

— Vous vous trompez ! C'est impossible !

Riven prend Timmy par les épaules et tous les deux s'assoient un peu à l'écart, sur un banc. Timmy met un long moment sa tête dans ses mains. Puis il la relève et affirme :

— Tu sais, Riven, quand on est très proche de quelqu'un, on peut sentir ses vibrations magiques, même en son absence...

Riven lance un bref regard vers Musa.

— Oui, ça m’est déjà arrivé.

— Moi, j’ai toujours ressenti très fortement les vibrations de Tecna. Eh bien, je continue à les percevoir.

— Mais, Timmy...

— Non, écoute-moi jusqu’au bout. Si elle était vraiment morte, je ne ressentirai plus qu’un grand vide, tu es d’accord ?

Perplexe, Riven se gratte la tête. Puis il pousse un profond soupir. Timmy finit par se lever du banc.

Il regarde les planètes bien visibles dans le ciel de Magix. D'une voix forte, il affirme :

— Je te retrouverai, Tecna, je te le promets !

Et à grands pas, il reprend le chemin de la Fontaine Rouge. Après nous avoir saluées, Riven, Sky et Brandon lui emboîtent le pas. Ils ne veulent pas laisser seul leur ami, celui d'entre nous qui était le plus proche de Tecna, celui qui la comprenait le mieux et l'aimait.

Du coup, nous, les Winx, reprenons le chemin de l'université. Lorsque nous sommes toutes réunies dans ma chambre, une évidence m'apparaît :

— Les Winx, c'était nous six ensemble. Ça n'est plus la même chose sans Tecna.

— Il faut dissoudre le club, suggère Musa.

— Je suis d'accord, murmure Flora.

Layla l'approuve et je hoche la tête.

— Nous sommes toutes du même avis. Mais avant de dissoudre le club, il nous reste une mission à accomplir : débarrasser Magix de Valtor. Ainsi, notre amie n'aura pas disparu pour rien.

Chapitre 5

Ce que Bloom ne sait pas

La même nuit, Valtor s'envole de la Tour Nuage en direction d'Oppositus.

Il s'agit d'une planète bien étrange. Le premier couple que rencontre Valtor est constitué d'un tout petit homme vêtu en paysan et d'une très grosse femme en robe du soir. Ils semblent être très heureux ensemble :

— Nous sommes en complète opposition, dit l'homme. C'est pour ça qu'on a tellement de choses en commun.

— Nous sommes fait l'un pour l'autre, lui répond amoureusement la femme.

Après les avoir croisés, Valtor se dirige vers le palais royal. Des gardes surgissent :

— Halte !

Le sorcier leur offre son sourire le plus charmeur.

— Oh, mais je n'ai aucunement l'intention d'entrer dans ce palais !

— Très bien, répond l'un des gardes. Alors, vous pouvez entrer.

Valtor s'incline avec élégance

et franchit la haute porte dorée. Dans le hall, il envoie un sortilège particulièrement puissant.

Le vent s'engouffre jusqu'au fond du palais et ramène deux parchemins scellés. Ceux-ci filent jusqu'aux mains de Valtor et, par un simple contact sur ses paumes, lui transmettent tous leurs secrets magiques. Puis ils retombent à ses pieds, vidés de leur contenu.

Aussitôt, sur toute la planète Oppositus, il se met à pleuvoir à torrents. Rien ne sera plus comme avant : l'opposition ne règne plus ! Stupéfait, le couple

d'amoureux cesse sa promenade : ils sont devenus identiques, grands et maigres !

— Quel malheur !

Valtor ressort du palais en haussant les épaules.

— Cet endroit est tellement insignifiant, murmure-t-il.

Maintenant qu'il a volé les secrets de cette planète en faisant son malheur, elle ne l'intéresse plus. Il préfère repartir vers la Tour Nuage.

Dans l'ancienne école des sorcières, les Trix contemplent les élèves transformées en esclaves. Réunies à la cantine de l'école, elles mangent comme des robots.

— Toutes ces filles qui obéissent au doigt et à l'œil à Valtor sont d'un ennui mortel, gémit Darcy.

— Elles me tapent sur les nerfs, renchérit Icy.

— Moi, elles m'amusent, ricane Stormy. Attention, attention ! annonce-t-elle d'une voix forte. Valtor a demandé que vous mélangiez votre purée de pommes de terre avec de la confiture.

Elles s'exécutent. Les Trix se tordent de rire.

C'est à cet instant que Valtor apparaît.

— Arrêtez d'embêter mes esclaves !

— On s'ennuie ! proteste Stormy. Quand vas-tu nous montrer l'un de ces nouveaux pouvoirs récupérés sur une autre planète ?

— Maintenant ! s'exclame Valtor, un inquiétant sourire sur le visage.

Il lève les mains en direction de Stormy :

— Oppositus !

Recevant de plein fouet le sortilège, la sorcière grimace, puis se met à sourire. Et elle se précipite pour serrer Icy dans ses bras !

— Tu sais que je t'apprécie beaucoup, Icy. Et toi, Darcy ! Qu'est-ce que tu es jolie,

aujourd'hui ! Ah, je suis tellement contente d'avoir des sœurs telles que vous...

Icy et Darcy s'écartent d'elle avec horreur. Alors Stormy s'assoit en compagnie des élèves, et se met à manger le mélange infect de purée et de confiture.

— Qu'est-ce qui lui prend ? demande Darcy.

— Que voulez-vous... répond Valtor comme si tout cela n'avait aucune importance. Stormy a des défauts. Ce n'est pas une sorcière parfaite comme, par exemple... Icy.

Icy le regarde et lui sourit.

— J'en connais une qui a perdu sa place de favorite !

Chapitre 6

Une terrible confrontation

« N'agissez jamais sous le coup de la colère ! nous a prévenu Mme Faragonda. Vous risqueriez de faire d'énormes erreurs. »

Mais la disparition de Tecna est un tel choc ! Comment rester là à ne rien faire ? D'un commun

accord, mes amies et moi décidons de nous rendre tout de suite à la Tour Nuage.

Sans prévenir la directrice, nous franchissons la barrière qui, de nuit, protège l'école d'Alféa. Pour cela, nous utilisons un petit appareil magique que Tecna avait mis au point et qu'elle avait laissé dans sa chambre.

Je pousse un soupir plein de tristesse :

— Encore une invention géniale de Tecna...

Devant l'école, Musa, Flora, Layla et Stella se transforment en Enchantix. Depuis la disparition de Tecna, je suis la seule à ne pas avoir acquis ce nouveau pouvoir...

Pourtant, après quelques batailles contre des monstres en tout genre, c'est moi qui me retrouve face à Valtor !

Dans le bureau de Mme Griffin, le sorcier est occupé à contempler une image en trois dimensions du système plané-

taire de Magix. Il semble très content de lui.

— Bientôt, j'aurai dérobé tous leurs secrets ! Magix m'appartiendra !

Comme je refuse de me battre avec quelqu'un qui me tourne le dos, je réplique d'une voix forte :

— Cela n'arrivera jamais, Valtor !

Il fait volte-face et ricane. Mais je lui envoie un premier sortilège, qui le projette contre le mur et l'assomme à moitié.

— Tu es très puissante, Bloom. Comme l'était ta mère, Marion.

Moi qui m'apprêtais à lancer sur lui un nouveau sort, j'interromps mon geste.

— Ta mère biologique, insiste-t-il. La reine de Domino.

— Vous la connaissiez ?

— Bien sûr. C'est moi qui l'ai vaincue.

Je reste figée, incapable de continuer à me battre. Je veux connaître la vérité !

— Oritel et Marion, tes parents biologiques, dirigeaient alors la Compagnie de la Lumière, cette société secrète qui espère sauver Magix des forces du mal.

Je vois bien qu'il savoure ce moment : je l'écoute, bouche bée. Mais comment faire autrement ? Il s'agit de mes parents ! Et j'ai si peu entendu parler d'eux !

— Je les ai rencontrés à l'époque où je n'étais qu'un

jeune magicien, poursuit-il. Le dernier à les avoir vus, c'est moi. Tout d'abord, j'ai piégé Marion, grâce à une formule utilisant des roches cannibales. Ensuite, bien sûr, Oritel est arrivé pour sauver ta mère. Il était très puissant et

je n'aurais jamais pu l'atteindre si je n'avais eu ta mère en otage, tout près de moi, coincée par les roches. Oritel avait peur de l'atteindre s'il jetait un sort sur moi... J'en ai profité pour le frapper. Voilà comment j'ai mis fin au règne du roi et de la reine de Domino.

Quelle horreur ! Mes pauvres parents... Cet homme est vraiment odieux de se vanter de leur mort auprès de moi, leur fille !

Une fureur immense m'envahit, violente, destructrice, la fureur du dragon.

Et je la déchaîne sur lui.

Mais, au même moment, il crie : « Oppositus ! » Toute la flamme du dragon dirigée vers lui se retourne contre moi et se transforme en glace compacte et étouffante.

Je l'entends rire de bon cœur et déclarer :

— Voici comment mourut la dernière survivante de Domino : détruite par sa propre magie.

Et à cet instant, je perds connaissance...

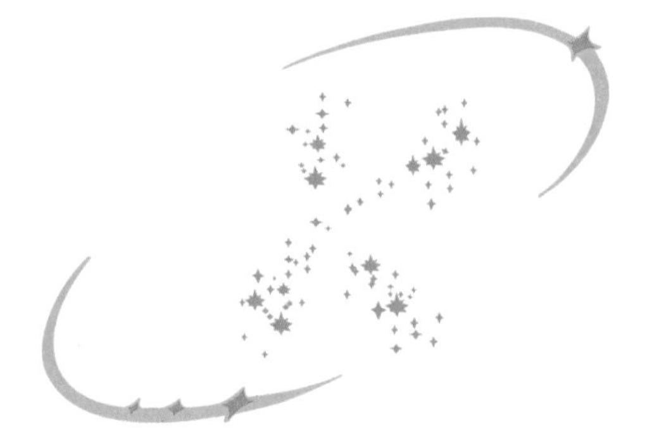

Chapitre 7

Ce que Bloom ne sait pas

Pendant que Bloom affronte seule le sorcier, Flora et Musa répandent de la poussière de fée sur toutes les élèves de la cantine, afin d'effacer sur elles la marque de Valtor.

Quant à Stella et Layla, elles

entrent dans le laboratoire de la Tour Nuage. À leur grande surprise, elles y découvrent Mme Griffin, prisonnière de barreaux magiques !

— Nous allons vous sortir de là, madame Griffin ! dit Layla.

Stella et elle joignent leurs pouvoirs les plus puissants.

Hélas ! Non seulement les barreaux restent inflexibles, mais, en plus, la magie de Stella et Layla se retourne contre elles !

— Ces barreaux ont été transformés par Valtor à la suite de son voyage sur Oppositus, leur explique Mme Griffin.

— J'ai une idée, dit Stella.

Elle secoue ses ailes, de manière à ce que la poussière de fée tombe sur l'ombre des barreaux sur le mur opposé.

Et hop ! Les barreaux magiques s'effacent...

Mme Griffin est libre !

Celle-ci l'applaudit :

— Bravo, jeune fille ! Tu as fait beaucoup de progrès... Ah, ces pouvoirs d'Enchantix... Je me souviens très bien du jour où Mme Faragonda a gagné son Enchantix, il y a fort longtemps... D'un seul coup, toutes mes attaques de sorcellerie n'avaient plus d'effet. Qu'est-ce que j'étais vexée !

Elle rit, émue par ce bon souvenir.

— Tu es sortie de ta cellule

sans permission, Griffin, dit une voix méprisante derrière elles. Tout ça manque un peu de discipline.

Stella, Flora et Mme Griffin se retournent : ce sont les Trix, plus méchantes que jamais. Même Stormy a retrouvé son caractère détestable.

— Vous avez tout à fait raison, mesdemoiselles. Et pour commencer, vous ne faites plus partie des élèves de l'école ! répond la directrice du tac au tac.

Aussitôt, les Trix disparaissent du paysage.

— Où sont-elles passées ? s'étonne Layla.

— Oh, je les ai envoyées dans la dimension Punition. En ce moment, un tableau noir vivant les oblige à écrire les six cents ingrédients nécessaires à toutes les potions magiques.

À cet instant, Mme Faragonda et son ami Saladin entrent dans la pièce, tout essoufflés. La directrice d'Alféa a deviné que les Winx ne resteraient pas inactives après la disparition de Tecna.

Elle a trouvé leurs chambres désertes et elle s'est précipitée à la Tour Nuage pour leur porter secours.

— Valtor est dans mon bureau, leur explique la directrice de la Tour Nuage. Puisque nous voilà tous réunis, essayons de nous emparer de lui !

— Mais... Bloom est entrée seule dans le bureau ! s'écrie Stella, très inquiète.

Ils se dépêchent de grimper en haut de la tour. Il était temps ! Prisonnière de la plus terrible des glaces, Bloom perd peu à peu son énergie.

Mme Griffin, Mme Faragonda et Saladin sont les seuls survivants de la Compagnie de la Lumière. Leurs pouvoirs sont considérables. Ils les unissent en direction de Valtor :

— Bouclier magique !

Leur énergie commune ne peut anéantir le sorcier, mais elle est suffisante pour mettre autour de lui une sorte de muraille magique qui l'empêche de lancer des sorts. Pendant ce temps, Flora, Musa, Stella et Layla secouent leurs ailes au-dessus de la glace qui enferme Bloom.

— Lorsqu'on finira de briser

le sortilège, la glace redeviendra feu, explique Stella. Alors, méfiez-vous, les filles !

Doucement, la glace fond. Derrière son bouclier, Valtor s'énerve et lance ses sorts de tous les côtés à la fois.

— On ne pourra pas maintenir le bouclier très longtemps, prévient Mme Faragonda.

— Nous avons bientôt fini, la rassure Flora.

Au moment même où le bouclier explose, la glace finit de s'évaporer ! Une puissante langue de feu s'échappe de Bloom et atteint Valtor de plein fouet.

Mais les fées et les Compagnons de la Lumière sont trop épuisés pour profiter de cet avantage. Ils ont juste assez de force pour emporter Bloom et repartir se mettre à l'abri à Alféa.

Quand Valtor reprend ses esprits, il n'a devant lui que les Trix, qui ont réussi à s'échapper de la dimension Punition.

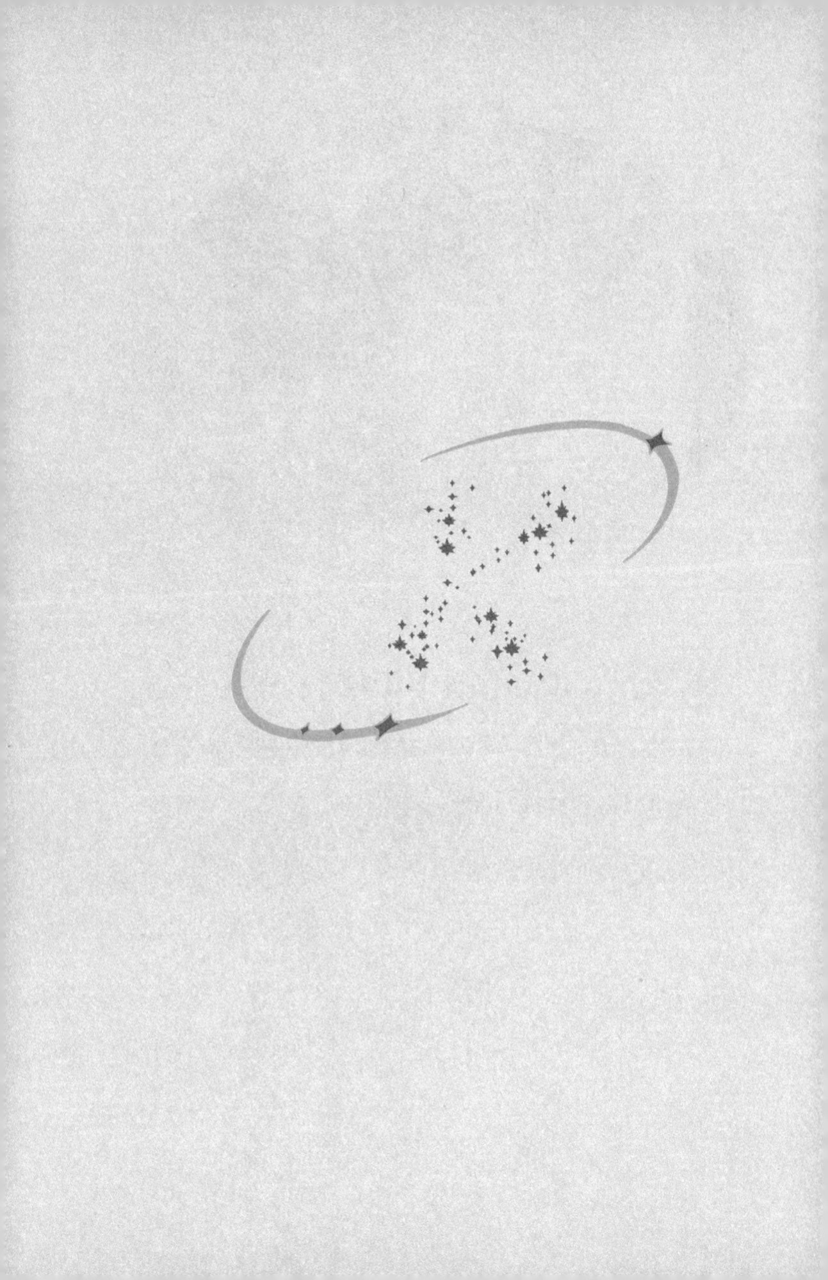

Chapitre 8

Vers l'île aux dragons

Après une longue nuit de repos, je suis convoquée dans le bureau de Mme Faragonda.

— Comment te sens-tu, Bloom ? me demande-t-elle avec sa bonté habituelle.

— Je ne me sentirai plus

jamais bien, madame Faragonda. Je veux anéantir Valtor définitivement ! C'est lui qui a tué mes parents biologiques quand j'étais bébé. C'est aussi à cause de lui que Tecna a disparu.

— Je comprends ta souffrance, Bloom. Mais tu vois, même tous ensemble, nous n'avons pas assez de puissance pour le vaincre. Du moins pour l'instant.

— Comment puis-je augmenter mes pouvoirs, madame Faragonda ?

La directrice semble hésiter.

— Je ne connais qu'un seul moyen... Tu devras te rendre dans un lieu très dangereux... Il n'est pas sûr que tu puisses en revenir...

— Tant pis ! Ne rien faire est insupportable ! Je veux tenter ma chance !

La directrice hoche doucement la tête.

— D'accord. Il s'agit de l'île aux dragons, sur la planète Pyros. Je vais t'aider à préparer ton voyage...

Un peu plus tard, je prends dans mes mains Lockette, ma connexion parfaite, et Kiko, mon lapin bleu.

— Écoutez-moi bien, tous les deux. Vous devez prendre bien soin l'un de l'autre.

— Promis, Bloom, dit Lockette.

Et Kiko fait frétiller le bout de son nez.

Rassurée, je les embrasse avec tendresse. Puis je serre dans mes bras chacune de mes amies. Et, bien sûr, j'ai une grande pensée d'amour pour Sky.

Mais je n'ai pas le choix. Soit

je reviens vivante et plus forte, prête à débarrasser définitivement Magix de Valtor, soit je ne reviens pas du tout.

En m'embrassant à son tour, Mme Faragonda me chuchote à l'oreille :

— Bonne chance, Bloom. Je crois très fort en toi.

Et déjà, cette parole me redonne espoir.

FIN

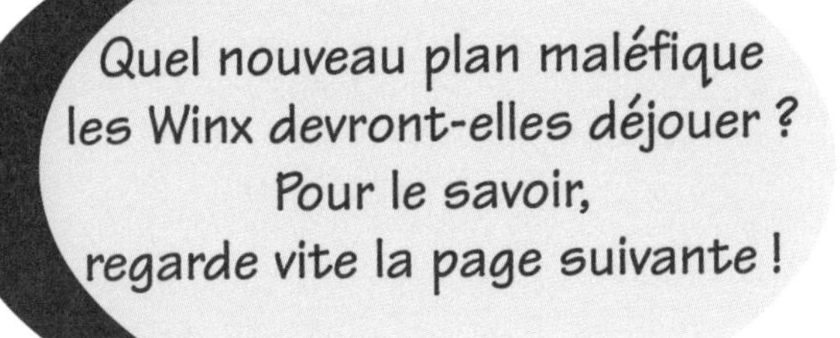
Quel nouveau plan maléfique
les Winx devront-elles déjouer ?
Pour le savoir,
regarde vite la page suivante !

Bloom et ses amies sont prêtes pour de nouvelles aventures !

Winx Club 22
L'île aux dragons

Les Winx ne sont plus que quatre : Bloom est partie renforcer ses pouvoirs magiques sur Pyros et Tecna reste introuvable. Heureusement, les fées d'Alféa peuvent compter sur les Spécialistes pour les soutenir… Quelle sera la prochaine attaque de l'odieux Valtor ?

Les as-tu tous lus ?

Retrouve toutes les histoires de tes fées préférées dans les livres précédents...

Saison 1

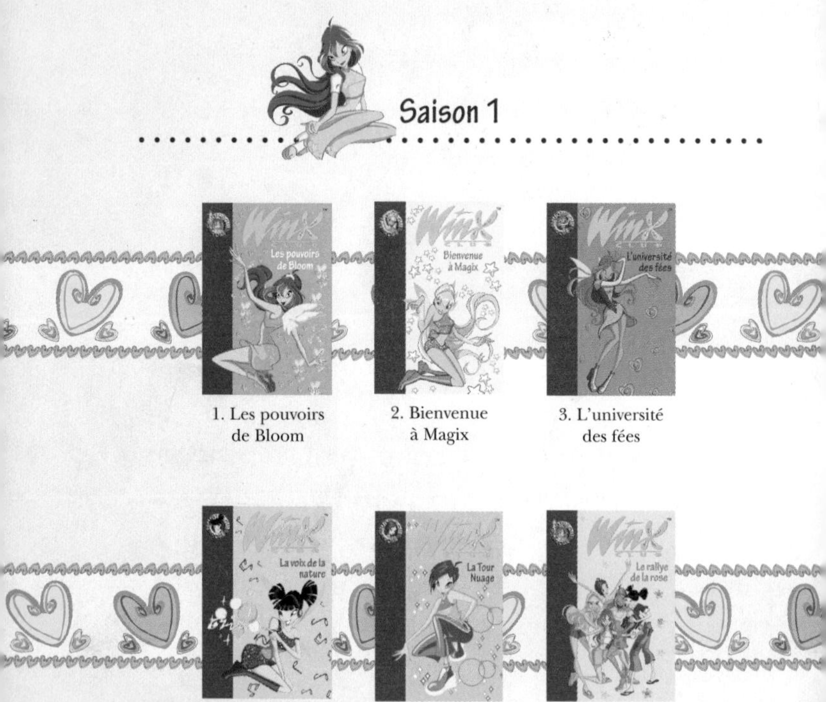

1. Les pouvoirs de Bloom

2. Bienvenue à Magix

3. L'université des fées

4. La voix de la nature

5. La Tour Nuage

6. Le Rallye de la Rose

Saison 2

7. Les mini-fées

8. Le mariage de Brandon

9. L'étrange Avalon

10. À la poursuite du Codex

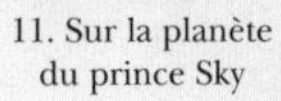

11. Sur la planète du prince Sky

12. Que la fête continue !

13. Alliance impossible

14. Le village des mini-fées

15. Le pouvoir du Charmix

16. Le royaume de Darkar

Saison 3

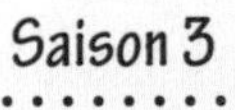

17. La marque de Valtor

18. Le Miroir de Vérité

19. La poussière de fée

20. L'arbre enchanté

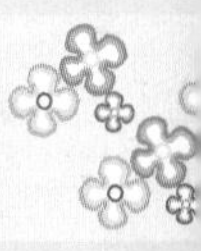

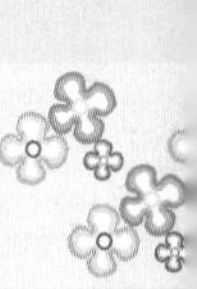

www.bibliothequerose.com
Le site de
tes héros préférés
LA BIBLIOTHÈQUE ROSE
TES SÉRIES PRÉFÉRÉES
CONCOURS
QUOI DE NEUF ?
L'ATELIER
LA BOUTIQU
BIBLIOTHÈQUE ROSE
LA BIBLIOTHÈQUE ROSE

Table

Winx™ Club

« Pour l'éditeur, le principe est d'utiliser des papiers composés de fibres naturelles, renouvelables, recyclables et fabriquées à partir de bois issus de forêts qui adoptent un système d'aménagement durable. En outre, l'éditeur attend de ses fournisseurs de papier qu'ils s'inscrivent dans une démarche de certification environnementale reconnue. »

Composition **Nord Compo** – Villeneuve d'Ascq

Imprimé en France par Jean-Lamour - Groupe Qualibris
Dépôt légal : janvier 2008
20.20.1553.5/01 – ISBN 978-2-01-201553-1
Loi n°49-956 du 16 juillet 1949
sur les publications destinées à la jeunesse

Rose Morin
226-0313
St-Georges
de beauce